Ce livre
appartient à:

. . . .

offert par:

. . . .

MA PREMIÈRE BIBLIOTHÈQUE ROSE

Enid Blyton

Oui-Oui
et son igloo

Illustrations de Jeanne Bazin

HACHETTE

Les éditions originales regroupées dans cet ouvrage
ont paru en langue anglaise chez
Sampson Low, Marston & CO, Ltd. Londres,
sous les titres :
NODDY TRICKS MR. SLY
NODDY AND THE NAUGHTY BOY
NODDY AND THE HONEY
NODDY AND THE SNOW HOUSE

Hachette Livre, 43, quai de Grenelle, 75015 Paris.

1

Le monstre

Aujourd'hui, Oui-Oui doit effectuer une course un peu spéciale : au lieu de transporter un client,

comme d'habitude, il doit aller chercher du miel pour M. Noé — ou plutôt pour ses ours. Vous vous souvenez peut-être que M. Noé abrite tout une ribambelle d'animaux dans son arche, une sorte de grande barque échouée dans un pré.

Oui-Oui se met donc en route, tout joyeux à l'idée de se rendre chez Mme Laruche qui habite sur la

Colline aux Clochettes, de l'autre côté du Bois des Lutins. C'est une jolie promenade, surtout à l'automne quand les arbres sont de toutes les couleurs.

Dès que Mme Laruche lui a remis les vingt pots de miel promis, Oui-Oui les range soigneusement dans son taxi pour ne pas les casser en route, et le voilà reparti pour l'Arche de M. Noé. Par précaution, il roule beaucoup moins vite qu'à l'aller, à cause de son chargement mais aussi parce qu'un vent très fort s'est mis à souffler et fait tomber les feuilles des arbres.

Soudain, voilà que trois
jeunes lapins étourdis sur-
gissent d'un fourré et tra-
versent la route juste
devant le taxi de Oui-Oui.

« Attention ! » crie celui-ci

en appuyant sur son klaxon.

Mais cela ne suffit pas. Le pantin de bois freine à fond, donne un coup de volant... et ce qui devait

arriver arrive : les roues glissent sur les feuilles mortes, c'est l'accident ! La petite voiture jaune se retrouve à l'envers dans le fossé, les quatre fers en l'air.

Par bonheur, elle n'a aucun mal et Oui-Oui non plus : il a eu le temps de sauter au moment où elle se retournait. Le problème, c'est que les pots de miel ont sauté

aussi et qu'ils sont tous cassés ! Quand Oui-Oui se relève, il est couvert de miel de la tête aux pieds. Quel spectacle ! Il est tout poisseux. Son grelot lui-même ne peut plus tinter, car il est collé à son bon-net. Et son malheur ne s'arrête pas là...

Brusquement, il entend un bourdonnement mena-çant. « Bzz ! Bzz ! Bzz ! » Il se retourne, surpris. Un essaim d'abeilles au grand complet se dirige droit sur lui !

« Au secours ! » crie le bonhomme en bois.

Terrifié, il s'enfuit en

courant. Les abeilles le poursuivent, bourdonnant de plus belle.

« Allez-vous-en ! hurle-t-il. Ne me piquez pas ! Je vous en supplie, partez ! Ce miel n'est pas à moi ! »

Bien sûr, les abeilles s'en moquent et ne lui obéissent pas. Elles sont trop gourmandes pour ça. Quelques-unes se posent sur Oui-Oui et se mettent à le butiner. Il n'apprécie

pas du tout leurs manières
et court plus vite encore.
Mais les abeilles sont
têtues : elles le prennent
en chasse, forment der-
rière lui un long cordon

17

bourdonnant. « Bzz ! Bzz ! Bzz ! Bzz ! »

Oui-Oui, affolé, ne prend pas le temps de regarder où il met les pieds. Soudain, il trébuche sur une

racine et PATATRAS ! il s'affale au beau milieu d'un tas de feuilles mortes. Comme il fait de grands gestes pour se relever et pour chasser les abeilles qui le suivent toujours, arrive encore ce qui devait arriver : quand il se relève, il est couvert de feuilles de la pointe de son bonnet à celle de ses souliers. Il essaie bien de s'en débarrasser, mais quand il les

décolle d'un côté, elles se recollent aussitôt de l'autre !

Pauvre petit Oui-Oui... Si tu voyais à quoi tu ressembles ! Tu n'as plus rien d'un bonhomme en bois, à présent : on dirait plutôt un monstre des bois ! À peine si on aperçoit encore ta bouche et tes yeux.

Et cela n'empêche pas les abeilles de continuer à

tourner autour de cette étrange statue de feuilles et de miel... Alors Oui-Oui, aussi furieux qu'effrayé, reprend ses jambes à son cou et court si vite, cette fois, qu'il réussit à les semer. Au bout d'un moment, il pousse un cri de joie : il est chez Potiron ! Quelle chance ! Son ami le nain va pouvoir l'aider !

Hum... À ta place, Oui-

Oui, je ne me réjouirais pas si vite.

Quand le pantin de bois fait irruption dans la cuisine du vieux nain, ce dernier est en train de mettre

du charbon dans sa cuisi-
nière. En voyant arriver
cette horrible créature
hérissée de feuilles,
Potiron sursaute, prend
peur et la chasse en la
menaçant d'un boulet de
charbon.

« Hors d'ici, espèce de
monstre ! Qui êtes-vous,
pour vous introduire ainsi
chez moi ? Allez, ouste !
Filez ! Je ne veux pas de
vous !

— Potiron, c'est moi !
Écoute-moi, je t'en prie ! »
crie Oui-Oui d'une voix
suppliante.

Mais Potiron ne veut
rien entendre. La colère

le rend sourd. Il poursuit le « monstre » à travers son jardin et finit même par lui lancer le boulet de charbon. Oui-Oui, éperdu, s'enfuit sans demander son reste. Quelle triste expérience pour lui, d'être traité de la sorte par son meilleur ami ! Comme il ne s'est pas vu, il ignore que le vieux nain ne pouvait absolument pas le reconnaître...

« Je n'ai plus qu'une solution, se dit-il sombrement. Je vais aller trouver mon voisin, M. Bouboule. Il acceptera peut-être de

m'aider à remettre ma voiture debout, lui ! »

Mais quand l'ours en peluche, qui travaillait dans son jardin avec sa femme, le voit arriver, il se met aussitôt à crier :

« Au secours ! Un monstre ! Il va piétiner nos légumes. Il faut le chasser, et vite ! »

Armé de sa fourche, il se jette sur Oui-Oui.

« Allez, décampe, espèce

d'abruti ! On ne veut pas
de toi ici, bandit ! »

Le pauvre Oui-Oui est
catastrophé. Ce qui lui
arrive est terrible. Il ne
comprend toujours pas

pourquoi ses amis le traitent aussi mal. Il est un peu sale, d'accord, mais de là à l'appeler « monstre », « abruti » et « bandit » !

Le cœur lourd, il rentre chez lui à l'instant où le laitier arrive. Et lui aussi se comporte d'une façon bizarre : dès qu'il aperçoit Oui-Oui, il pousse un cri terrifié, lâche la bouteille de lait qu'il tenait et s'enfuit en levant les bras au ciel.

« Décidément, rien ne va plus, gémit Oui-Oui. Même le laitier est méchant avec moi. »

Bouleversé, il se rend dans sa petite salle de

bains pour se nettoyer et
là... il aperçoit son reflet
dans la glace. Il pousse un
cri perçant.

« Hein ? Qu'est-ce que
c'est ? Mais je ne suis pas

moi ! sanglote-t-il. Je ne suis plus Oui-Oui ! Quelle horreur ! Ce miel devait être ensorcelé : il m'a transformé en une créature épouvantable ! »

Tandis qu'il pleure à chaudes larmes, on frappe à sa porte et une petite voix demande :

« Est-ce que Oui-Oui est ici ?

— Je ne sais pas ! répond le bonhomme en

bois. Je ne sais plus si je suis Oui-Oui ou si je suis quelqu'un d'autre. »

Alors la porte s'ouvre et Mirou apparaît, mignonne comme tout avec son manteau bordé de fourrure et son bonnet noué par un ruban. L'oursonne en peluche n'a pas peur, elle : elle sait que cette chose bizarre est Oui-Oui, puisqu'elle a reconnu la voix de son ami.

« Que t'est-il arrivé ? s'exclame-t-elle. Mon pauvre Oui-Oui !

— Oh, Mirou ! Tu crois que je suis bien moi ? Je fais peur à tout le monde,

depuis tout à l'heure ! Et je ne me reconnais même plus. C'est terrible !

— Ne t'inquiète pas, je vais arranger ça, déclare Mirou. D'où viennent toutes ces feuilles collées sur toi ? Oh, mais on dirait du miel ! Que s'est-il passé ? Tu es entré dans une ruche ? »

Pendant que Oui-Oui lui raconte son aventure, elle ôte les feuilles une

à une et les compte.
Quand elle arrive au bout,
il y en a plus de cent !

« Pas étonnant qu'on ne
t'ait pas reconnu sous ce
déguisement ! s'exclame-

t-elle en riant. Voilà, tu es redevenu toi-même. À présent, il faut que tu quittes ces habits pleins de miel. Je les laverai pendant que tu prendras un bon bain. »

Oui-Oui a retrouvé le sourire.

« Merci, Mirou, tu es formidable. Je ne sais pas ce que j'aurais fait sans toi. »

Quand le petit pantin

de bois a pris son bain,
Mirou lui crie derrière la
porte :

« Sèche-toi et enfile
mon manteau. J'irai cher-
cher ta voiture avec toi. »

Oui-Oui, tout content, lui obéit. Un moment plus tard, ils partent ensemble pour le Bois des Lutins. La route est longue, à pied, mais les deux amis ont tant de choses à se raconter qu'ils ne voient pas le temps passer. Et lorsqu'ils arrivent à l'endroit de l'accident, SURPRISE ! La petite voiture jaune les attend, bien droite sur ses quatre roues... et propre

comme un sou neuf. Quelqu'un l'a redressée, a débarrassé les pots cassés et l'a nettoyée ! Oui-Oui est ravi : il a encore des amis, au Pays des Jouets !

41

« Tuut ! Tuut ! Tuut ! fait joyeusement la voiture, heureuse de retrouver son chauffeur.

— Mon cher petit taxi ! s'écrie le bonhomme en bois. Si tu savais ce qui m'est arrivé, sans toi ! Je ne t'abandonnerai plus jamais. »

Il se met au volant ; Mirou s'installe près de lui.

« Tu sais quoi ? lance Oui-Oui. Nous allons voir

Potiron et lui passer un
bon savon. Qu'est-ce que
c'est que ces manières, de
recevoir ses amis avec des
boulets de charbon ? »

Mirou éclate de rire.

« Tu es sûr qu'il te reconnaîtra, cette fois ? N'oublie pas que tu as mon manteau ! »

Devant l'air perplexe de Oui-Oui, son amusement redouble. Décidément, sans le petit chauffeur de taxi le Pays des Jouets ne serait pas ce qu'il est : un pays plein de surprises et de gaieté !

2

Le bonhomme
de neige

Quelques semaines se
passent, tranquilles, sans
événement particulier.
Apparemment, les leçons

45

que Oui-Oui a données à Sournois et à Pierrot ont servi : le bonhomme en bois n'a plus entendu parler d'eux. Quant aux pots de miel de M. Noé, Oui-Oui est retourné en chercher d'autres chez Mme Laruche et cette fois tout s'est bien passé. Et puis un matin, en se levant, le pantin de bois regarde par la fenêtre de sa petite maison-pour-lui-tout-seul

et ouvre des yeux ronds :
tout est blanc ! L'automne
est parti, l'hiver l'a rem-
placé.

« Chouette ! se dit-il.
Nous allons pouvoir nous

amuser. Ça tombe bien, j'avais justement envie de prendre des vacances. »

Son petit déjeuner terminé, il court dans son garage et pose une jolie couverture à carreaux, bien chaude, sur le capot de sa voiture jaune.

« Repose-toi, petit taxi. Tu l'as bien mérité. Dès que la neige fondra, nous reprendrons nos tournées. »

Cela fait, Oui-Oui sort

de chez lui. Tout le monde
a l'air content, ce matin.
Non loin de là, les filles de
Léonie Laquille font des
glissades dans la rue
gelée.

« Qui veut faire une partie de boules de neige avec nous ? » crient-elles à tue-tête.

Oui-Oui est d'accord ; il adore lancer des boules de neige. Mais quand, sans faire attention, il en envoie une sur le dos de M. Barbet, le chien mécanique se lance à sa poursuite et l'oblige à faire le tour de Miniville au pas de course !

Un peu plus tard, quand il a repris son souffle, Oui-Oui se remet à jouer. Manque de chance, une de ses boules touche le bicorne du gendarme et

le fait tomber... Le pantin de bois, terrifié, court se cacher. Et là, catastrophe ! En tournant à toute allure au coin de la rue, voilà qu'il heurte Mme Bouboule qui se retrouve par terre, dans la neige glacée...

L'ourse en peluche est furieuse.

« Tu n'en feras jamais d'autres, Oui-Oui ! Tu ne peux pas regarder où tu vas ?

—Je suis désolé, madame Bouboule. Vraiment désolé, s'excuse le pantin de bois dont la tête à ressort s'agite tant et plus. Je jouais aux boules de neige et...

— Tu jouais aux boules de neige ? coupe Mme Bouboule. Alors je vais te donner un conseil, petit étourdi : amuse-toi donc à bombarder la famille Laquille. Les quilles adorent tomber, elles ! »

Oui-Oui obéit, trop content de s'en tirer à si bon compte. Il court retrouver les filles de Léonie, Lucie, Lucette et Louisette. Mme Bouboule avait raison : quand il les fait tomber, elles rient aux éclats. Puis arrive M. Culbuto, l'air tout réjoui. Quand l'hiver est là, c'est le plus heureux des jouets :

sa famille et lui sont les seuls habitants de Miniville que personne ne peut jamais renverser ! Oui-Oui s'amuse un bon moment avec lui ; il a

beau lui lancer des boules de neige de toutes ses forces, M. Culbuto se contente de se balancer d'avant en arrière et de gauche à droite, en riant à gorge déployée.

Au bout d'une heure, le pantin de bois en a assez. Ce gros bonhomme tout rond qui se retrouve toujours debout, à la longue, c'est lassant !

« J'ai une idée, se dit-il.

Je vais rentrer chez moi et construire une maison en neige dans mon jardin : un petit igloo tout rond, avec une porte, une fenêtre et une cheminée au sommet. Quand il sera fini, j'inviterai Potiron à goûter. »

Sitôt dit, sitôt fait : il se met au travail, découpe des blocs de neige, les empile les uns sur les autres et bientôt l'igloo

est terminé. La porte est peut-être un peu basse, mais ce n'est pas grave : il est superbe !

Tout fier, Oui-Oui y installe une petite table et

fabrique un siège avec de la neige. Après quoi il court inviter Potiron, qui lui promet de venir un peu plus tard.

De retour dans son igloo, Oui-Oui frissonne et claque des dents, ce qui fait tinter le grelot de son bonnet. « Diling ! Diling ! Diling ! »

« Cet endroit est gla... glacial, marmonne-t-il. Il... il faut que je le réchauffe

un peu avant que Potiron
arrive. J'ai une idée : je vais
construire une cheminée.
La fumée pourra sortir
par le toit, ce sera parfait. »

Un moment plus tard, la

cheminée est prête et Oui-Oui allume du feu dedans. Tout de suite, le pantin de bois se sent beaucoup mieux. Quand Potiron arrive pour goûter, il le fait asseoir, tout content.

« Magnifique, déclare le vieux nain. Tu t'es bien débrouillé, Oui-Oui. Mmm... et ces gâteaux sont très appétissants. J'en veux bien un, merci. »

Pendant qu'ils goûtent,

Oui-Oui se lève de temps en temps pour attiser le feu. Et soudain quelque chose de bizarre se produit : une goutte d'eau tombe dans le cou de

Potiron qui sursaute, une autre atterrit sur le bonnet de Oui-Oui. Le vieux nain se lève d'un bond.

« Oui-Oui, ta maison fond ! s'écrie-t-il. Elle est en train de nous fondre dessus ! Bientôt, il ne va plus rien en rester.

— Tu... tu... tu crois ? balbutie Oui-Oui, dépité.

— Bien sûr ! Dépêchons-nous de sortir les affaires

du goûter avant qu'elle s'écroule ! »

Mais les deux amis ont beau faire vite, l'igloo fond plus vite encore et tout à coup ils se retrouvent

enfoncés jusqu'au cou dans un tas de neige mouillée. « Brrr ! » C'est loin d'être agréable !

Alertée par leurs cris, Mme Bouboule arrive en

courant. Ils lui expliquent ce qui s'est passé.

« Faire du feu dans une maison de neige, ce n'était pas très malin ! déclare l'ourse en peluche tandis que les deux compères se relèvent, trempés jusqu'aux os. Vous allez attraper un rhume carabiné. Rentrez vite chez toi, Oui-Oui, je vais m'occuper de vous. »

Une fois dans la petite

maison de Oui-Oui, elle leur fait quitter leurs habits mouillés et prendre un bon bain chaud. Cela rappelle à Oui-Oui le jour où Mirou lui a fait faire la même chose pour le débarrasser du miel de Mme Laruche et il se met à rire tout seul. Décidément, il lui arrive toujours de drôles d'aventures !

Le lendemain, Potiron

revient voir Oui-Oui pour
s'assurer qu'il n'a pas pris
froid. Le pantin de bois
est en pleine forme. Il
propose même au vieux
nain de construire un

bonhomme de neige dans son jardin. Potiron accepte, et à tous les deux ils fabriquent un bonhomme très réussi. Un bonhomme ? Plutôt une bonne femme ! Car Oui-Oui, pour habiller son œuvre, a emprunté à Mme Bouboule un vieux bonnet, une vieille cape et ses chaussures de jardin.

Les deux artistes sont très fiers. Un sourire jusqu'aux oreilles, ils reçoivent

les compliments d'un tas de jouets : Mlle Chatounette, la chatte en peluche, M. et Mme Noé accompagnés du lion et de la lionne, et Pierrot qui a mis ce jour-là son chapeau pointu... Quand tous les visiteurs sont partis, il est déjà tard.

« Tu devrais dormir ici, ce serait plus prudent, propose Oui-Oui à Potiron. La nuit va bientôt tomber, et avec cette neige tu risquerais de te perdre. »

Potiron est d'accord. Après un bon dîner, ils font une partie de jeu de l'oie, puis vont se coucher.

Oui-Oui prête son lit à Potiron et s'installe dans un fauteuil avec un coussin et une couverture. Bientôt, ils dorment à poings fermés. Le vieux nain ronfle comme un sonneur, mais Oui-Oui, heureusement, ne l'entend pas.

Pourtant, au milieu de la nuit, quelque chose réveille le pantin en bois. Il se redresse d'un bond,

les yeux écarquillés.
Qu'est-ce que c'était que
ce bruit ? Un bruit sourd,
comme si quelqu'un cher-
chait à entrer. En réalité,
il s'agit d'un paquet de

neige qui est tombé du toit, mais Oui-Oui, terrifié, est persuadé qu'il s'agit d'un voleur.

Il quitte son fauteuil. Sur la pointe des pieds, il fait le tour des pièces de la maison. Rien. Personne. Tout paraît tranquille. Se serait-il trompé ? Mais non ! Voilà que le bruit recommence ! C'est bien ce que Oui-Oui pensait : quelqu'un cherche à entrer...

Le cœur battant, il court à la fenêtre et regarde dehors. Un cri de frayeur lui échappe : au beau milieu du jardin se dresse une silhouette noire, immobile. Oui-Oui la distingue à peine dans l'obscurité, mais il en est sûr : c'est un voleur ! Vite, il court réveiller Potiron.

« Potiron ! Potiron ! Réveille-toi ! Il y a un voleur dans le jardin !

Réveille-toi, je te dis !
Nous devons nous défen-
dre ! POTIRON ! CESSE
DE RONFLER ! TU VAS
TE RÉVEILLER, OUI ? »

Le bonhomme en bois

secoue si fort le vieux nain que celui-ci se réveille enfin en sursaut.

« Quoi ? Qu'est-ce qu'il y a ? Un voleur dehors, tu dis ? Ne crains rien, nous allons lui régler son compte. Où est ton balai ? »

Oui-Oui court chercher le balai et le donne à Potiron. De son côté, il s'arme d'une casserole et d'un pique-feu. Attention, monsieur le voleur, tu vas

voir ce que tu vas voir !

« Sortons par la porte de derrière », dit Potiron.

Les voilà partis. Silencieux comme des ombres, ils contournent la maison.

Où est donc ce malotru ?

« Il est là, debout au milieu du jardin ! chuchote Oui-Oui. C'est curieux, il n'a pas bougé... Vite, Potiron, fonce et donne-lui une bonne correction. Je te suis. »

Et tous deux de se ruer sur le voleur, brandissant balai, casserole et pique-feu. Ils n'y vont pas de main morte ! Les coups pleuvent, les cris aussi :

« Tiens, prends ça !

— Attrape, espèce de malappris !

— Voilà pour t'apprendre à rentrer chez les gens !

— Un coup pour toi, sacripant ! »

Oui-Oui et Potiron se déchaînent tant et si bien qu'ils réveillent les voisins. Des lampes s'allument chez les Bouboule d'un côté, chez les Laquille de l'autre. Bientôt, M. Bouboule apparaît avec une lanterne. Puis Léonie Laquille arrive à son tour, suivie de ses filles. Pendant ce temps, le vacarme

continue : Et pan ! Et vlan !
Et pif ! Et paf !

Sapristi, quel charivari !
Pourtant, chose bizarre, le
voleur ne bouge toujours
pas et n'essaie même pas

de se défendre. À peine s'il se tasse sur lui-même quand il reçoit des coups...

Soudain, voilà que le gendarme arrive aussi. Il faisait sa ronde et le tinta-marre l'a alerté.

« Que se passe-t-il ? demande-t-il à M. Bouboule et à Léonie Laquille.

— On ne sait pas, répond l'ours en peluche. Ce qui est sûr, c'est que Oui-Oui et Potiron ont

l'air d'avoir de sérieux
ennuis ! »

Le gendarme s'approche,
sa lampe-torche à la main.
Il la dirige sur le voleur...

et part d'un ÉNORME
éclat de rire.

« Ha ! Ha ! Ha ! Ha ! Hi !
Hi ! Hi ! »

Car ce qu'il a devant lui,
c'est tout simplement le

bonhomme de neige, ou plutôt ce qu'il en reste ! Oui-Oui et Potiron se figent sur place, cloués par la surprise.

« Ah, on peut dire que vous êtes malins, tous les deux ! s'exclame le gendarme. Vous vous battez avec votre propre bonhomme de neige ! C'est bien la première fois que je vois ça. Ha ! Ha ! Ha ! Je devrais vous mettre une

amende pour tapage nocturne, mais j'ai tellement ri que je vous pardonne. »

M. Bouboule et la famille Laquille rient aux éclats, eux aussi. Oui-Oui, lui,

n'en mène pas large. Il se doute bien que Potiron ne va pas laisser passer cette histoire comme ça. Déjà, il voit les gros sourcils blancs du vieux nain qui se rapprochent, ses joues qui rougissent, ses yeux qui étincellent.

« Je suis désolé, Potiron... murmure-t-il d'une toute petite voix. Désolé, désolé, désolé ! Je ne te réveillerai plus jamais, je te le promets !

— ESPÈCE DE PETIT CHENAPAN ! tonne le nain, furibond. La prochaine fois que tu crieras au voleur, tu pourras toujours attendre que je me lève ! »

Oui-Oui se tait, soulagé. Maintenant que l'orage est passé, il n'a plus grand-chose à craindre. Car il sait bien que son cher vieux Potiron a le meilleur cœur du monde et que dès demain matin, après un bon petit déjeuner, il redeviendra son ami. Alors, de nouveau, la vie sera belle au Pays des Jouets et Oui-Oui pourra faire tinter son grelot

en chantant à tue-tête :
« *C'est moi, Oui-Oui,*
Le chauffeur de taxi !
Je suis parfois
le roi des étourdis,
Mais Potiron
est mon ami ! »

Table

Imprimé en France par *Partenaires-Livres* ®
N° dépôt légal : 12673 – juin 2001
20.24.0209.5.02   ISBN: 2.01.200209.9

Loi n° 49-956 du 16 juillet 1949
sur les publications destinées à la jeunesse